ᓄᓂᕙᒋᐊᖅᑐᖅ
NUNIVAGIAQTUQ
GOING BERRY PICKING

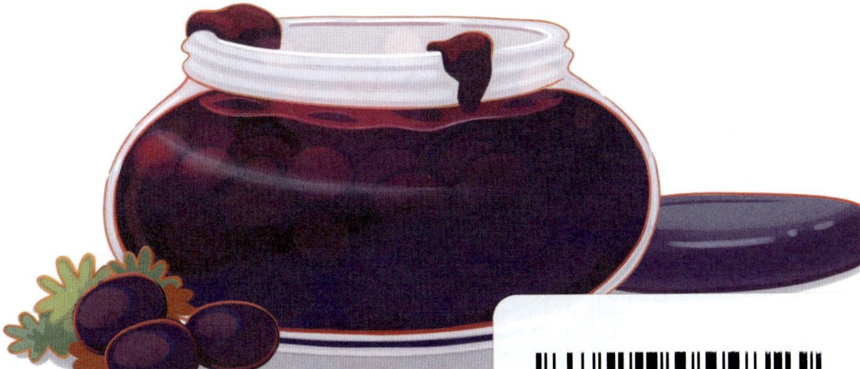

ᑎᑎᖅᑐᒐᖅᑐᖅ
ᐃᒪ ᐲᑐᓯᓐ

TITIQTUGAQTUQ ILLUSTRATED BY
Emma Pedersen

ᔭᐃᑲᒃ

jaikak

jacket

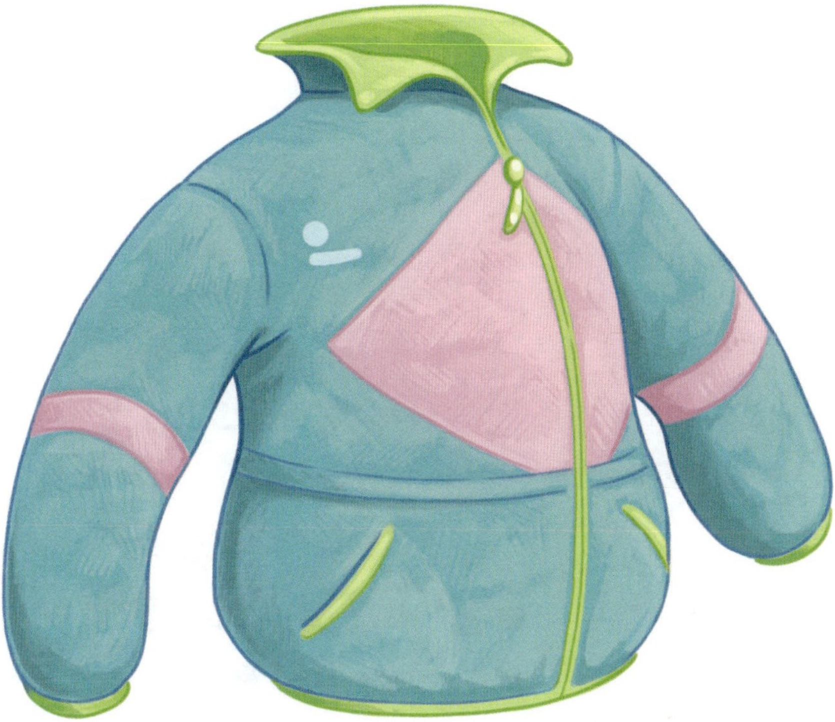

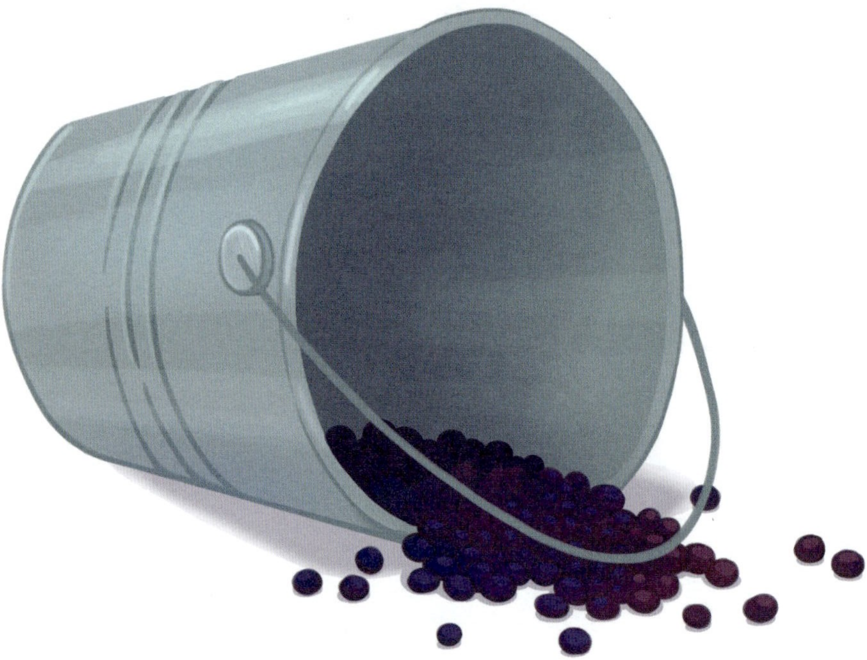

ᖃᑦᑕᖅ

qattaq

bucket

ᐱᖑᑯᓗᒃ

pingukuluk

hill

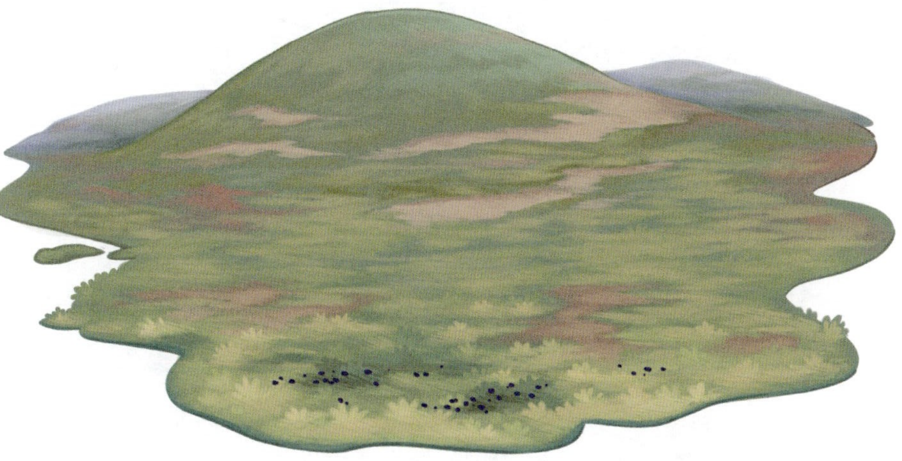

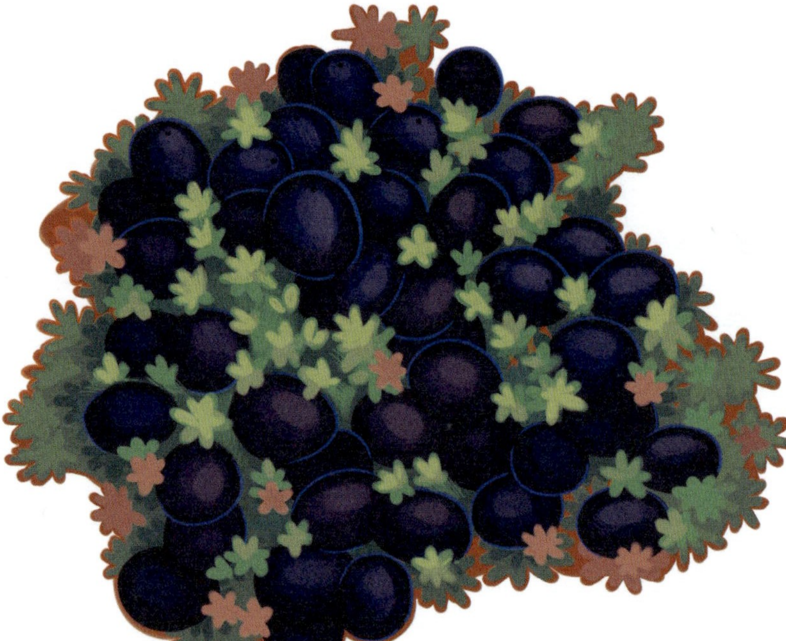

ᐸᐅᕐᖓᑦ

paurngat

berries

ᒥᙵᐊᖅ

minguaq

jam

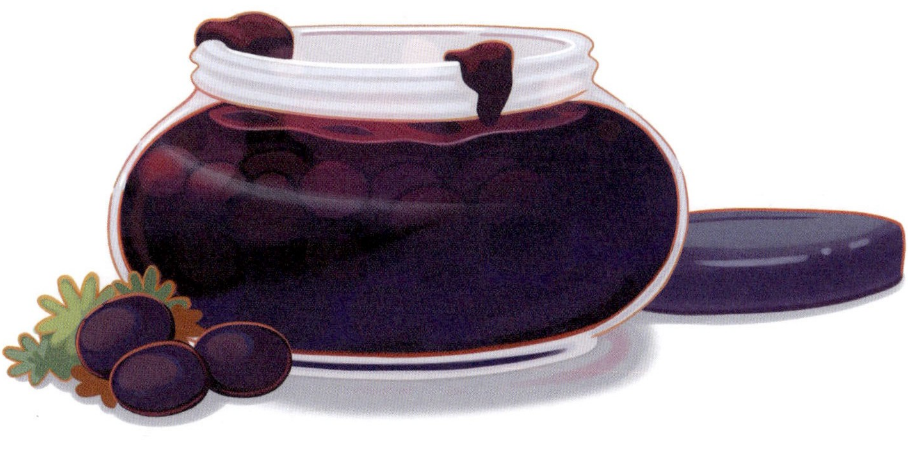

Nunavummi